# 헬라어 쓰기성경

# Πρός Ἐφεσίους

- 에베소서 -

언약성경연구소

케타브 프로젝트: 헬라어 쓰기성경 – 에베소서

**발 행** | 2024년 2월 12일
**저 자** | 이학재
**발행인** | 최현기
**편집 · 디자인** | 허동보

**등록번호** | 제399-2010-000013호
**발행처** | 홀리북클럽
**주 소** | 경기도 남양주시 진접읍 내각2로12 (070-4126-3496)

**ISBN** | 979-11-6107-051-3
**가 격** | 12,600원

# Πρός Ἐφεσίους

## - 에베소서 -

## 영·한·그리스어
### 대역대조 쓰기성경

언약성경연구소

* 본 책에는맛싸성경(한글), 개역한글(한글), Westcott-Hort Greek NT(헬라어), NET(영어) 성경 역본이 사용되었으며,
KoPub 바탕체, KoPub 돋움체, Noto Serif Display, 세방체 폰트가 사용되었습니다.
헬라어 알파벳표와 모음표는 『왕초보 헬라어 펜습자』(허동보 저) 저자의 동의를 받고 첨부하였습니다.
맛싸성경3은 저자 이학재 교수가 원문성경에서 직접 번역한 번역물로 번역 저작물이 저작권협회에 접수된 개인번역입니다.

# 목 차

에베소서는 사도 바울이 에베소 교회에 보낸 편지로, 로마 감옥에 갇혀 있을 때 쓴 것으로 추정되며, 교회의 신분과 사명에 관한 중요한 가르침을 담고 있습니다. 에베소서에서 특히 중요한 내용은 교회의 신분과 사명입니다. 교회의 신분은 그리스도의 몸으로서, 세상을 변화시키는 하나님의 도구라는 것입니다. 교회의 사명은 세상에 하나님의 사랑과 빛을 드러내는 것입니다. 에베소서는 이러한 교회의 신분과 사명을 바탕으로, 교회가 어떻게 세상을 변화시킬 수 있는지에 대해 구체적인 가르침을 제공합니다. 에베소서는 교회가 세상을 변화시키는 공동체로 세워지도록 도와주는 귀한 편지입니다.

이학재 Lee Hakjae
· Covenant University 부총장
· 월간 맛싸 대표   · 맛싸성경 번역자   · 언약성경협회장

성경은 말씀으로 읽고 소리내서 낭독하는 훈련이 필요하다. 또한 성경은 precept, 즉 글로 적은 글이다. 십계명도 하나님께서 적어 주신 것이고 구약성경, 신약성경 모두다 사람들이 손으로 필사하여 전해온 것이다. 특히 시편에서는 하나님의 말씀을 '호크'<sup>규례, 교훈</sup>라고 부르는데 이것은 '하카크' 즉 '새기다, 기록하다'는 의미이다. 성경은 1455년에 라틴어를 출간하기까지 구약은 서기관들에 의해서 두루마리에 필사를 통해서 기록되었고 신약 역시 대문자, 소문자 등을 통해서 손으로 직접 적었다.

이같은 성경은 소리내 읽는 '낭독'과 글로 적는 '호크'<sup>precept</sup>로 기록된 말씀이다. 물론 타자를 치는 필사를 비롯하여 다양한 방법이 있지만, 특히 AI 시대에는 주관성과 개인의 특성을 가진 영성이 품어 나오는 적기 성경 즉 '필사 성경'이 필요하다. 시중에 한글 필사성경, 영어 등은 이미 출판되어 있지만 원문 필사는 아직 나오지 않았다. 원문 필사를 위해서는 원문만 넣을 것이 아니라 한글의 공적성경<sup>개역, 개역개정</sup>과 또한 사역이지만 원문에서 번역한 것이 필요한데 이런 면에서 '맛싸 성경'은 중요한 역할을 할 것이다. 아울러 영역본도 함께 제공되어 원문과 함께 번역본들을 보게 되고 자신의 필사 성경도 각권으로 남게 될 것이다.

성경을 적는다는 것은 참으로 중요하다. 기도하면서 성경에서도 달려가면서도 성경을 읽게 하라는 말씀은 성경에도 기록되어 있다<sup>하박국 2장</sup>. 많은 사람들이 성경을 덮어두거나, '말아 놓았다'. 이제는 적어서 펼쳐 놓아야 한다. 이런 면에서 족자, 액자들 성경 원문 쓰기를 통해서 원문을 보고 묵상하고 더욱 말씀을 가시적으로 보며 그 말씀의 생명력을 가지는 삶을 살아야 할 것이다. 이 모든 것이 '적는 것'<sup>כתב 케타브</sup>에서 시작된다. 이 시리즈는 구약 전권 신약 전권의 '쓰기', '적기'를 출간하는 것으로 생각하고 있다. 매일 일정한 양을 쓰면서 원문을 자유롭게 이해하고 원문의 바른 의미, 성경의 의미를 바르게 이해해서 말씀에 근거를 둔 그러한 건강한 말씀 중심의 삶을 살아가시기를 소원한다.

저자   이 학 재

허동보 Huh Dongbo  · 수현교회 담임목사  · Covenant University 통합과정 중
· 왕초보 히브리어/헬라어 펜습자 저자

교회 역사는 대부분 이단으로부터 교회를 보호하는 역사였습니다. 사도들과 교부들의 가르침, 공의회를 통한 결정들은 우리 신앙의 선배들이 이단으로부터 교회를 지키고자 목숨까지 걸었던 몸부림이라고 해도 과언이 아닙니다. 그 신념, 그 몸부림의 근거는 바로 성경이었습니다. 하나님의 말씀이자 우리 신앙생활의 원천인 성경은 수천년이 지난 이 시대를 살아가는 우리가 쉽게 읽을 수 있도록 전문가들을 통해 비교적 잘 번역되어 있습니다. 그럼에도 불구하고 말씀을 사랑하고 매일 묵상하는 우리 그리스도인들이 히브리어와 헬라어를 배워야 하는 까닭은 무엇일까요?

첫째로 지금도 교회를 노리고 핍박하는 이들로부터 주님의 몸 된 교회를 지키기 위해서입니다. 아무리 번역이 잘 되었다고 하더라도 해당 언어가 가진 고유의 뉘앙스와 의미를 동일하게 전달하는 것은 불가능합니다. 따라서 우리는 원전을 살펴봄으로써 말씀에 대한 왜곡과 오해를 헤쳐 나가야 합니다. 둘째로 언어의 한계성 때문입니다. 성경이 쓰여진 시기의 사회적 배경과 문학적 장치들을 더 잘 전달받기 위해서 우리는 히브리어와 헬라어를 배워야 합니다. 우리는 해당 언어를 통해 한글성경에서 느끼기 힘든 시적 운율과 다양한 의미들을 더욱 세밀하게 들여다볼 수 있으며, 이 과정에서 더 큰 은혜를 느낄 수 있습니다. 셋째로 말씀을 사모하기 때문입니다. 다른 언어를 배운다는 것은 쉽지 않습니다. 그 어려움보다 말씀에 대한 사모가 더욱 간절하기에 우리는 기꺼이 시간과 노력을 할애할 수 있습니다. 이는 마치 해리포터를 사랑하는 사람이 영어를 배우고, 톨스토이를 사랑하는 사람이 러시아어를 배우는 것처럼 원전에 더 가까워지고자 하는 욕망은 말씀을 사모하는 이들이라면 거스를 수 없을 것입니다.

이런 관점에서 언약성경협회와 언약성경연구소의 사역은 하나님의 말씀을 열정적으로 소망하는 우리 그리스도인들에게 있어서 꼭 필요한, 그리고 꼭 이루어 나가야 할 사명이 아닌가 합니다. 이에 말씀을 사모하는 많은 분들이 케타브 프로젝트에 동참하길 소망합니다. 아울러 이학재 교수님을 통해 영광스럽게도 편집과 디자인으로 이 프로젝트에 동참하게 된 것에 대해 주님께 감사드립니다.

편집자

# 헬라어쓰기성경 활용법

이 책의 구조와 활용법에 대해 알려드립니다.

1. 왼쪽 페이지는 헬라어 성경인
   Westcott-Hort Greek NT 와 더불어
   맛싸성경과 함께 영문역본 NET2를 대
   조하였습니다.

   - 맛싸성경은 저자 이학재 박사가 원문성경
     에서 직접 번역한 번역물로 번역 저작물이
     저작권협회에 접수된 개인 번역입니다.

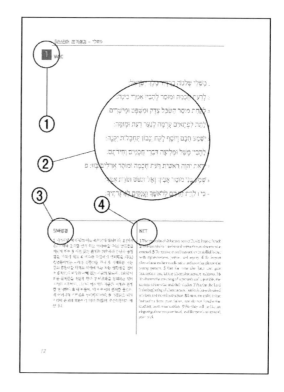

2. 왼쪽 페이지 좌상단에 위치한 숫자는 각
   장을 말합니다. 각 절은 본문에 포함되어
   있습니다.

   ① 몇 장인지 나타냅니다.
   ② 헬라어 본문입니다.
   ③ 맛싸성경 본문입니다.
   ④ NET2 본문입니다.

3. 여백을 넉넉히 두어 필사와 함께 성경공부를 위한 노트로 사용할 수 있습니다.

\* 헬라어쓰기성경을 통해 하나님의 은혜가 더욱 풍성하고 가득한 신앙의 여정이 되시길 소망합니다.

# 헬라어 알파벳

| 대문자 | 소문자 | 이름 | 대문자 | 소문자 | 이름 |
|---|---|---|---|---|---|
| Α | α | 알파 | Ν | ν | 뉘 |
| Β | β | 베타 | Ξ | ξ | 크시 |
| Γ | γ | 감마 | Ο | ο | 오미크론 |
| Δ | δ | 델타 | Π | π | 피 |
| Ε | ε | 엡실론 | Ρ | ρ | 로 |
| Ζ | ζ | 제타 | Σ | σ / ς | 시그마 |
| Η | η | 에타 | Τ | τ | 타우 |
| Θ | θ | 테타 | Υ | υ | 윕실론 |
| Ι | ι | 이오타 | Φ | φ | 퓌 |
| Κ | κ | 캅파 | Χ | χ | 키 |
| Λ | λ | 람다 | Ψ | ψ | 프시 |
| Μ | μ | 뮈 | Ω | ω | 오메가 |

# 헬라어 모음 vowel

| 구분 ＼ 계열 | |아| 계열 | |에| 계열 | |이| 계열 | |오| 계열 | |우| 계열 |
|---|---|---|---|---|---|
| 단모음 | α | ε | ι | ο | υ |
| 장모음 | α | η | ι | ω | υ |
| ι <sup>이오타</sup> 하기 | ᾳ | ῃ | | ῳ | |
| 그 외 이중모음 | αι αυ<br>[아이] [아우] | ει ευ<br>[에이] [유] | | οι ου<br>[오이] [우] | υι<br>[위] |

헬라어 모음은 위 표를 보면 알 수 있듯이 전혀 어려울 것이 없습니다. '아, 에, 이, 오, 우'만 잘 외우고 있으면 됩니다. 구체적인 발음은 『왕초보 헬라어 펜습자』(허동보 저) 제 2 장 헬라어 모음편을 참조하세요.

| 약숨표 smooth breathing | ἀ[아] ἐ[에] ἰ[이] ὀ[오] ὐ[우] ἠ[에] ὠ[오] |
|---|---|
| 강숨표 rough breathing | ἁ[하] ἑ[헤] ἱ[히] ὁ[호] ὑ[후] ἡ[헤] ὡ[호] |

■ 꼭 기억해야 하는 '**숨표**'<sup>breathings</sup>  ʼ  ʽ

헬라어 모음에서 정말 중요한 것 한 가지가 더 있습니다. 바로 숨표 <sup>breathings</sup> 입니다. 숨표에는 '강숨표'<sup>rough breathing</sup> 와 '약숨표'<sup>smooth breathing</sup> 가 있습니다. 일반적으로는 약숨표가 주로 사용되지만, 종종 강숨표가 붙은 단어들이 등장합니다. 약숨표가 붙은 단어는 원래 음가 그대로 읽어주면 되지만, 강숨표가 붙은 단어는 'ㅎ'[h] 발음을 넣어서 이름 그대로 '거칠게'<sup>rough</sup> 읽어줍니다. 이중모음에서 숨표는 뒷 글자에 붙으며, 약숨표와 강숨표는 같은 모양, 반대 방향입니다. 가령 '날'<sup>day</sup> 을 의미하는 *ἡμέρα* 라는 단어는 '에메라'가 아니라 '헤메라'로 읽습니다. 작은 따옴표처럼 생긴 저 숨표를 잘 체크해야 합니다.

# Πρός Ἐφεσίους

-에베소서-

# 1 Westcott-Hort Greek NT

1 Παῦλος ἀπόστολος Χριστοῦ Ἰησοῦ διὰ θελήματος θεοῦ τοῖς ἁγίοις τοῖς οὖσιν [ἐν Ἐφέσῳ] καὶ πίστοις ἐν Χριστῷ Ἰησοῦ,

2 χάρις ὑμῖν καὶ εἰρήνη ἀπὸ θεοῦ πατρὸς ἡμῶν καὶ κυρίου Ἰησοῦ Χριστοῦ.

## 맛싸성경

1 예수 그리스도의 사도(인) 바울은 하나님의 뜻을 통하여 에베소에 있는 거룩한 자들과 예수 그리스도 안에 있는 신실한 자들에게 (편지하노니) 2 너희에게 은혜와 평안이 우리 아버지 하나님과 그리고 주님 예수 그리스도로부터 (있기를 원하노라).

## NET

1 From Paul, an apostle of Christ Jesus by the will of God, to the saints [in Ephesus], the faithful in Christ Jesus. 2 Grace and peace to you from God our Father and the Lord Jesus Christ!

3 Εὐλογητὸς ὁ θεὸς καὶ πατὴρ τοῦ κυρίου ἡμῶν Ἰησοῦ Χριστοῦ,
ὁ εὐλογήσας ἡμᾶς ἐν πάσῃ εὐλογίᾳ πνευματικῇ ἐν τοῖς
ἐπουρανίοις ἐν Χριστῷ,

4 καθὼς ἐξελέξατο ἡμᾶς ἐν αὐτῷ πρὸ καταβολῆς κόσμου εἶναι
ἡμᾶς ἁγίους καὶ ἀμώμους κατενώπιον αὐτοῦ ἐν ἀγάπῃ,

5 προορίσας ἡμᾶς εἰς υἱοθεσίαν διὰ Ἰησοῦ Χριστοῦ εἰς αὐτὸν
κατὰ τὴν εὐδοκίαν τοῦ θελήματος αὐτοῦ.

6 εἰς ἔπαινον δόξης τῆς χάριτος αὐτοῦ ἧς ἐχαρίτωσεν ἡμᾶς ἐν
τῷ ἠγαπημένῳ.

---

**맛싸성경**

3 송축하라! 하나님 그리고 우리 주님 예수 그리스도의 아버지는 그리스도 안에서 모든 영적인 복으로 우리에게 복 주신 분으로 4 우리를 세상 시작 전에 그(분) 안에서 선택하신 것과 같이, 우리를 거룩한 자와 그분 앞에서 사랑 안에서 흠이 없는 자가 되게 하셨고, 5 그분이 우리를 예수 그리스도를 통하여 그분으로 입양되게 예정하셨으니, 그분의 뜻의 기뻐하심을 따른 것이라. 6 그분의 은혜의 영광을 찬양하기 위해서, 사랑을 받으신 자 안에서 우리에게 그 안에서 은혜를 베푸셨다.

**NET**

3 Blessed is the God and Father of our Lord Jesus Christ, who has blessed us with every spiritual blessing in the heavenly realms in Christ. 4 For he chose us in Christ before the foundation of the world that we should be holy and blameless before him in love. 5 He did this by predestining us to adoption as his legal heirs through Jesus Christ, according to the pleasure of his will— 6 to the praise of the glory of his grace that he has freely bestowed on us in his dearly loved Son.

7 Ἐν ᾧ ἔχομεν τὴν ἀπολύτρωσιν διὰ τοῦ αἵματος αὐτοῦ, τὴν ἄφεσιν τῶν παραπτωμάτων, κατὰ τὸ πλοῦτος τῆς χάριτος αὐτοῦ.

8 ἧς ἐπερίσσευσεν εἰς ἡμᾶς ἐν πάσῃ σοφίᾳ καὶ φρονήσει,

9 γνωρίσας ἡμῖν τὸ μυστήριον τοῦ θελήματος αὐτοῦ κατὰ τὴν εὐδοκίαν αὐτοῦ ἣν προέθετο ἐν αὐτῷ.

10 εἰς οἰκονομίαν τοῦ πληρώματος τῶν καιρῶν, ἀνακεφαλαιώσασθαι τὰ πάντα ἐν τῷ Χριστῷ τὰ ἐπὶ τοῖς οὐρανοῖς καὶ τὰ ἐπὶ τῆς γῆς ἐν αὐτῷ.

---

**맛싸성경**

7 그 분(그리스도) 안에서 우리는 그분의 피를 통하여 속전함을 가지고 있으니, 범죄의 용서이고, 그분의 은혜의 풍성함을 따른 것이다. 8 그분이 모든 지혜와 이해력안에서 우리를 위하여, 부요하게 하셨고 9 우리에게 그분의 뜻의 비밀을 알게 하셨으니, 그(분) 안에서 계획하신 그분의 기뻐하심을 따른 것이다. 10 정한 때의 찬 경륜을 위하여, 그리스도안에서 모든 것들을 연합되게 하셨으니 (곧) 그분 안에서 하늘에 있는 것들과 땅에 있는 것들이다.

**NET**

7 In him we have redemption through his blood, the forgiveness of our offenses, according to the riches of his grace 8 that he lavished on us in all wisdom and insight. 9 He did this when he revealed to us the mystery of his will, according to his good pleasure that he set forth in Christ, 10 toward the administration of the fullness of the times, to head up all things in Christ—the things in heaven and the things on earth.

# 1 Westcott-Hort Greek NT

11 Ἐν ᾧ καὶ ἐκληρώθημεν προορισθέντες κατὰ πρόθεσιν τοῦ τὰ πάντα ἐνεργοῦντος κατὰ τὴν βουλὴν τοῦ θελήματος αὐτοῦ.

12 εἰς τὸ εἶναι ἡμᾶς εἰς ἔπαινον δόξης αὐτοῦ τοὺς προηλπικότας ἐν τῷ Χριστῷ.

13 Ἐν ᾧ καὶ ὑμεῖς ἀκούσαντες τὸν λόγον τῆς ἀληθείας, τὸ εὐαγγέλιον τῆς σωτηρίας ὑμῶν ἐν ᾧ καὶ πιστεύσαντες ἐσφραγίσθητε τῷ πνεύματι τῆς ἐπαγγελίας τῷ ἁγίῳ,

14 ὅ ἐστιν ἀρραβὼν τῆς κληρονομίας ἡμῶν, εἰς ἀπολύτρωσιν τῆς περιποιήσεως, εἰς ἔπαινον τῆς δόξης αὐτοῦ.

---

## 맛싸성경

11 그(분)안에서, 그리고 우리는 상속함을 받았으니 예정되어진 것으로, 일들의 모든 것들을 결정하는 것에 따른 것이며, 그분의 뜻의 계획에 따른 것으로 12 그분의 영광을 찬양하도록 우리를 되게 하셨으니, 그리스도 안에서 전에부터 소망해온 자들이다. 13 그(분) 안에서, 너희가 진리의 말씀을 들었으니, (그것은) 너희 구원의 복음이다. 그(분) 안에서 또 너희가 믿었고, 약속의 성령으로 인(도장)이 찍혔다. 14 그분은 우리의 유산의 보증이시며, 소유의 속전이 되게 하시고, 그분의 영광을 찬양 하려함이다.

## NET

11 In Christ we too have been claimed as God's own possession, since we were predestined according to the purpose of him who accomplishes all things according to the counsel of his will 12 so that we, who were the first to set our hope on Christ, would be to the praise of his glory. 13 And when you heard the word of truth (the gospel of your salvation)—when you believed in Christ—you were marked with the seal of the promised Holy Spirit, 14 who is the down payment of our inheritance, until the redemption of God's own possession, to the praise of his glory.

**1** Westcott-Hort Greek NT

15 Διὰ τοῦτο κἀγὼ ἀκούσας τὴν καθ' ὑμᾶς πίστιν ἐν τῷ κυρίῳ Ἰησοῦ καὶ τὴν εἰς πάντας τοὺς ἁγίους.

16 οὐ παύομαι εὐχαριστῶν ὑπὲρ ὑμῶν μνείαν ποιούμενος ἐπὶ τῶν προσευχῶν μου,

17 ἵνα ὁ θεὸς τοῦ κυρίου ἡμῶν Ἰησοῦ Χριστοῦ, ὁ πατὴρ τῆς δόξης, δώῃ ὑμῖν πνεῦμα σοφίας καὶ ἀποκαλύψεως ἐν ἐπιγνώσει αὐτοῦ,

18 πεφωτισμένους τοὺς ὀφθάλμους τῆς καρδίας [ὑμῶν] εἰς τὸ εἰδέναι ὑμᾶς τίς ἐστιν ἡ ἐλπὶς τῆς κλήσεως αὐτοῦ, τίς ὁ πλοῦτος τῆς δόξης τῆς κληρονομίας αὐτοῦ ἐν τοῖς ἁγίοις,

19 καὶ τί τὸ ὑπερβάλλον μέγεθος τῆς δυνάμεως αὐτοῦ εἰς ἡμᾶς τοὺς πιστεύοντας κατὰ τὴν ἐνέργειαν τοῦ κράτους τῆς ἰσχύος αὐτοῦ.

---

**맛싸성경**

15 이런 이유로 또한 나도, 주님 예수안에서 너희 믿음과 거룩한 모든 자들의 사랑에 대하여 들었고, 16 너희를 위하여 감사하기를 쉬지 않고, 나의 기도에 너희 언급을 한다. 17 그리하여 예수 그리스도 우리 주 하나님, 영광의 아버지께서 너희에게 지혜와 계시의 영을 그분의 지식 안에서 주시고 18 (너희) 마음의 눈들을 밝게 하여, 너희로 알게 하시도록 하여, 무엇이 그분의 부르심의 소망이며, 또 무엇이 그분의 유산의 영광의 풍성함이며, 19 또 무엇이 그분의 능력의 크심의 탁월함인지 우리로 믿게 하기 위함이며, 그분의 힘의 주권의 활동에 따른 것이다.

**NET**

15 For this reason, because I have heard of your faith in the Lord Jesus and your love for all the saints, 16 I do not cease to give thanks for you when I remember you in my prayers. 17 I pray that the God of our Lord Jesus Christ, the glorious Father, will give you spiritual wisdom and revelation in your growing knowledge of him, 18 —since the eyes of your heart have been enlightened—so that you can know what is the hope of his calling, what is the wealth of his glorious inheritance in the saints, 19 and what is the incomparable greatness of his power toward us who believe, as displayed in the exercise of his immense strength.

20 ἣν ἐνήργηκεν ἐν τῷ Χριστῷ ἐγείρας αὐτὸν ἐκ νεκρῶν καὶ καθίσας ἐν δεξιᾷ αὐτοῦ ἐν τοῖς ἐπουρανίοις.

21 ὑπεράνω πάσης ἀρχῆς καὶ ἐξουσίας καὶ δυνάμεως καὶ κυριότητος καὶ παντὸς ὀνόματος ὀνομαζομένου, οὐ μόνον ἐν τῷ αἰῶνι τούτῳ ἀλλὰ καὶ ἐν τῷ μέλλοντι·

22 καὶ πάντα ὑπέταξεν ὑπὸ τοὺς πόδας αὐτοῦ καὶ αὐτὸν ἔδωκεν κεφαλὴν ὑπὲρ πάντα τῇ ἐκκλησίᾳ,

23 ἥτις ἐστὶν τὸ σῶμα αὐτοῦ, τὸ πλήρωμα τοῦ τὰ πάντα ἐν πᾶσιν πληρουμένου.

---

**맛싸성경**

20 그것은 그리스도안에서 그분이 역사하는 것으로, 죽은 자들로부터 일으키셨으며, 또 하늘에 있는 그분의 오른 편에 앉게 하신 것이다. 21 모든 통치자와 권위자와 능력과 주권과 그리고 불리워진 모든 이름들 위에 있게 하셨으니, 단지 이 시대만 아니라, 또한 오는 시대이다. 22 그리고 그분의 발 아래에 모든 것들을 복종하게 하셨고 그리고 모든 것들 위에 그분을 교회에 머리로 주셨다. 23 그것은(교회는) 그분의 몸이니, 모든 것 안에서 충만하게 하시는 모든 것들의 충만이다.

**NET**

20 This power he exercised in Christ when he raised him from the dead and seated him at his right hand in the heavenly realms 21 far above every rule and authority and power and dominion and every name that is named, not only in this age but also in the one to come. 22 And God put all things under Christ's feet, and gave him to the church as head over all things. 23 Now the church is his body, the fullness of him who fills all in all.

## 2 Westcott-Hort Greek NT

1 Καὶ ὑμᾶς ὄντας νεκροὺς τοῖς παραπτώμασιν καὶ ταῖς ἁμαρτίαις ὑμῶν,

2 ἐν αἷς ποτε περιεπατήσατε κατὰ τὸν αἰῶνα τοῦ κόσμου τούτου, κατὰ τὸν ἄρχοντα τῆς ἐξουσίας τοῦ ἀέρος, τοῦ πνεύματος τοῦ νῦν ἐνεργοῦντος ἐν τοῖς υἱοῖς τῆς ἀπειθείας·

3 ἐν οἷς καὶ ἡμεῖς πάντες ἀνεστράφημεν ποτε ἐν ταῖς ἐπιθυμίαις τῆς σαρκὸς ἡμῶν ποιοῦντες τὰ θελήματα τῆς σαρκὸς καὶ τῶν διανοιῶν, καὶ ἤμεθα τέκνα φύσει ὀργῆς ὡς καὶ οἱ λοιποί·

---

### 맛싸성경

1 그리고 너희는 범죄들과 죄들로 죽었고, 2 그 안에서 전에 이 세상의 악한 영을 따라서 걸었으며, 공중의 권세의 통치자를 따랐으니, 지금도 불순종의 아들들 안에서 일하는 영이다. 3 그 안에서 우리 모두도 전에 우리 육신의 정욕들 안에서 살았으니 육신과 생각의 뜻들을 따라 행하였으며, 또 우리는 다른 사람들 같이 본질상 진노의 자녀들이었다.

### NET

1 And although you were dead in your offenses and sins, 2 in which you formerly lived according to this world's present path, according to the ruler of the domain of the air, the ruler of the spirit that is now energizing the sons of disobedience, 3 among whom all of us also formerly lived out our lives in the cravings of our flesh, indulging the desires of the flesh and the mind, and were by nature children of wrath even as the rest…

4 ὁ δὲ θεὸς πλούσιος ὢν ἐν ἐλέει, διὰ τὴν πολλὴν ἀγάπην αὐτοῦ ἣν ἠγάπησεν ἡμᾶς,

5 καὶ ὄντας ἡμᾶς νεκροὺς τοῖς παραπτώμασιν συνεζωοποίησεν τῷ Χριστῷ,- χάριτι ἐστε σεσωσμένοι-.

6 καὶ συνήγειρεν καὶ συνεκάθισεν ἐν τοῖς ἐπουρανίοις ἐν Χριστῷ Ἰησοῦ,

7 ἵνα ἐνδείξηται ἐν τοῖς αἰῶσιν τοῖς ἐπερχομένοις τὸ ὑπερβάλλον πλοῦτος τῆς χάριτος αὐτοῦ ἐν χρηστότητι ἐφ' ἡμᾶς ἐν Χριστῷ Ἰησοῦ,

---

**맛싸성경**

4 그러나 긍휼안에 부요하신 하나님이 우리를 사랑하셨던 그분의 크신 사랑으로 인하여, 5 또한 범죄들로 죽었던 너희를 그리스도와 함께 살리셨으니, 너희는 은혜로 구원받아진 것으로, 6 또 예수 그리스도 안에서 우리를 (그와) 함께 일으키셨으며 (그와) 함께 하늘 (들)에 앉히셨다. 7 그리하여 오는 시대에서 그가 예수 그리스도 안에서 우리를 향하신 선하심 안에서 그분의 은혜를 뛰어넘는 풍성함을 보여주시고자 하셨다.

**NET**

4 But God, being rich in mercy because of his great love with which he loved us, 5 even though we were dead in offenses, made us alive together with Christ—by grace you are saved!— 6 and he raised us up together with him and seated us together with him in the heavenly realms in Christ Jesus, 7 to demonstrate in the coming ages the surpassing wealth of his grace in kindness toward us in Christ Jesus.

**2** Westcott-Hort Greek NT

8 Τῇ γὰρ χάριτι ἐστε σεσωσμένοι διὰ πίστεως· καὶ τοῦτο οὐκ ἐξ

ὑμῶν, θεοῦ τὸ δῶρον·

9 οὐκ ἐξ ἔργων, ἵνα μή τις καυχήσηται.

10 αὐτοῦ γὰρ ἐσμεν ποίημα, κτισθέντες ἐν Χριστῷ Ἰησοῦ ἐπὶ

ἔργοις ἀγαθοῖς οἷς προητοίμασεν ὁ θεός, ἵνα ἐν αὐτοῖς

περιπατήσωμεν.

---

**맛싸성경**

8 이는 너희가 은혜로 믿음을 통하여 구원을 받았으니, 이것이 너희에게서부터 난 것이 아니고 하나님의 선물이다. 9 행위에서부터 난 것이 아니니, 그래서 누구든지 자랑하지 못하게 하려 함이다. 10 이러므로 우리는 그의 피조물이니, 예수 그리스도 안에서 선한 일들을 인하여 창조되었고, 곧 하나님께서 예비하신 것으로, 그것들 안에서(선한 일들) 걷게 하려 함이다.

**NET**

8 For by grace you are saved through faith, and this is not from yourselves, it is the gift of God; 9 it is not from works, so that no one can boast. 10 For we are his creative work, having been created in Christ Jesus for good works that God prepared beforehand so we can do them.

11 Διὸ μνημονεύετε ὅτι ποτὲ ὑμεῖς τὰ ἔθνη ἐν σαρκί, οἱ λεγόμενοι ἀκροβυστία ὑπὸ τῆς λεγομένης περιτομῆς ἐν σαρκὶ χειροποιήτου,

12 ὅτι ἦτε τῷ καιρῷ ἐκείνῳ χωρὶς Χριστοῦ ἀπηλλοτριωμένοι τῆς πολιτείας τοῦ Ἰσραὴλ καὶ ξένοι τῶν διαθηκῶν τῆς ἐπαγγελίας, ἐλπίδα μὴ ἔχοντες καὶ ἄθεοι ἐν τῷ κόσμῳ.

13 νυνὶ δὲ ἐν Χριστῷ Ἰησοῦ ὑμεῖς οἱ ποτε ὄντες μακρὰν ἐγενήθητε ἐγγὺς ἐν τῷ αἵματι τοῦ Χριστοῦ.

---

### 맛싸성경

11 그러므로 전에는 너희가 육체안에서 이방민족들이었으며, 사람 손으로 만든 육체 안에서 할례자로 불리는 자들에 의해서 무할례자로 불리웠다는 것을 너희는 기억하라. 12 너희는 그 때, 그리스도와 떨어져 있었고, 이스라엘의 시민권에서 분리되어져 있었으며, 약속의 언약에서 이방인들이었으며, 소망도 가지지 않았었고, 세상에서 하나님도 없는 자였다. 13 전에는 너희가 멀리 있었으나 그러나 이제는 예수 그리스도 안에서 그리스도의 피로 가까워졌다.

### NET

11 Therefore remember that formerly you, the Gentiles in the flesh—who are called "uncircumcision" by the so-called "circumcision" that is performed on the body by human hands— 12 that you were at that time without the Messiah, alienated from the citizenship of Israel and strangers to the covenants of promise, having no hope and without God in the world. 13 But now in Christ Jesus you who used to be far away have been brought near by the blood of Christ.

14 Αὐτὸς γάρ ἐστιν ἡ εἰρήνη ἡμῶν, ὁ ποιήσας τὰ ἀμφότερα ἓν καὶ τὸ μεσότοιχον τοῦ φραγμοῦ λύσας, τὴν ἔχθραν ἐν τῇ σαρκὶ αὐτοῦ,

15 τὸν νόμον τῶν ἐντολῶν ἐν δόγμασιν καταργήσας ἵνα τοὺς δύο κτίσῃ ἐν αὐτῷ εἰς ἕνα καινὸν ἄνθρωπον ποιῶν εἰρήνην.

16 καὶ ἀποκαταλλάξῃ τοὺς ἀμφοτέρους ἐν ἑνὶ σώματι τῷ θεῷ διὰ τοῦ σταυροῦ, ἀποκτείνας τὴν ἔχθραν ἐν αὐτῷ.

17 καὶ ἐλθὼν εὐηγγελίσατο εἰρήνην ὑμῖν τοῖς μακρὰν καὶ εἰρήνην τοῖς ἐγγύς·

18 ὅτι δι' αὐτοῦ ἔχομεν τὴν προσαγωγὴν οἱ ἀμφότεροι ἐν ἑνὶ πνεύματι πρὸς τὸν πατέρα.

## 맛싸성경

14 이러므로 그분 자신은 우리의 화평이시며, 둘을 하나로 만드신 분이시니, 또 나누는 담을 헐어버리시고, 15 그의 육체 안에서 원수로, 법령 안에서 명령들의 법을 무효화하셔서, 그래서 그 안에서 둘을 하나인 새 사람으로 창조하셔서 화평하게 하시고, 16 십자가를 통하여 하나님께 한 몸 안에서 둘을 화해하게 하셨으며, 그 안에서 원수를 죽이셨다. 17 그리고 그가 오셔서 멀리 있는 자들인 너희에게 화평을 전하셨고, 그리고 가까이 있는 자들에게도 화평을 (전하셨다). 18 그분을 통하여) 우리는 한 성령 안에서 둘이 아버지를 향하여 나아감을 가졌다.

## NET

14 For he is our peace, the one who made both groups into one and who destroyed the middle wall of partition, the hostility, 15 when he nullified in his flesh the law of commandments in decrees. He did this to create in himself one new man out of two, thus making peace, 16 and to reconcile them both in one body to God through the cross, by which the hostility has been killed. 17 And he came and preached peace to you who were far off and peace to those who were near, 18 so that through him we both have access in one Spirit to the Father.

19 ἄρα οὖν οὐκέτι ἐστὲ ξένοι καὶ πάροικοι ἀλλὰ ἐστὲ συμπολῖται τῶν ἁγίων καὶ οἰκεῖοι τοῦ θεοῦ,

20 ἐποικοδομηθέντες ἐπὶ τῷ θεμελίῳ τῶν ἀποστόλων καὶ προφητῶν, ὄντος ἀκρογωνιαίου αὐτοῦ Χριστοῦ Ἰησοῦ,

21 ἐν ᾧ πᾶσα οἰκοδομὴ συναρμολογουμένη αὔξει εἰς ναὸν ἅγιον ἐν κυρίῳ,

22 ἐν ᾧ καὶ ὑμεῖς συνοικοδομεῖσθε εἰς κατοικητήριον τοῦ θεοῦ ἐν πνεύματι.

---

**맛싸성경**

19 그래서 이제 너희는 더 이상 이방인들이나, 외국인들도 아니고, 오히려 거룩한 자들(성도들)의 함께하는 시민들이요, 그리고 하나님의 가족들이다. 20 너희는 사도들과 선지자들의 기초에 세워졌으니, 그분 예수 그리스도는 친히 모퉁이돌이시다. 21 그(분) 안에서 모든 자들이 건물로 함께 맞추어지고, 그리스도 안에서 거룩한 전(혹은 '성전')으로 성장하고 있으니, 22 그(분) 안에서 또 너희도 성령 안에서 하나님의 거할 곳이 되도록 함께 지어져 가고 있다.

**NET**

19 So then you are no longer foreigners and noncitizens, but you are fellow citizens with the saints and members of God's household, 20 because you have been built on the foundation of the apostles and prophets, with Christ Jesus himself as the cornerstone. 21 In him the whole building, being joined together, grows into a holy temple in the Lord, 22 in whom you also are being built together into a dwelling place of God in the Spirit.

**3** | Westcott-Hort Greek NT

1 Τούτου χάριν ἐγὼ Παῦλος ὁ δέσμιος τοῦ Χριστοῦ Ἰησοῦ ὑπὲρ ὑμῶν τῶν ἐθνῶν -.

2 εἴ γε ἠκούσατε τὴν οἰκονομίαν τῆς χάριτος τοῦ θεοῦ τῆς δοθείσης μοι εἰς ὑμᾶς,

3 [ὅτι] κατὰ ἀποκάλυψιν ἐγνωρίσθη μοι τὸ μυστήριον, καθὼς προέγραψα ἐν ὀλίγῳ,

4 πρὸς ὃ δύνασθε ἀναγινώσκοντες νοῆσαι τὴν σύνεσιν μου ἐν τῷ μυστηρίῳ τοῦ Χριστοῦ.

5 ὃ ἑτέραις γενεαῖς οὐκ ἐγνωρίσθη τοῖς υἱοῖς τῶν ἀνθρώπων ὡς νῦν ἀπεκαλύφθη τοῖς ἁγίοις ἀποστόλοις αὐτοῦ καὶ προφήταις ἐν πνεύματι,

6 εἶναι τὰ ἔθνη συγκληρονόμα καὶ σύσσωμα καὶ συμμέτοχα τῆς ἐπαγγελίας ἐν Χριστῷ Ἰησοῦ διὰ τοῦ εὐαγγελίου,

---

**맛싸성경**

1 이러한 이유로 나 바울은 너희 이방인들을 위한 예수 그리스도의 포로이니 2 만일 너희가 너희를 위하여 내게 주신 하나님의 은혜의 경륜을 들었다면, 3 그것은 계시를 따라서 내게 비밀로 알려진 것으로, 간략하게 전에 기록된 것과 같다. 4 그것으로, 너희가 읽을 때에 그리스도의 비밀 안에서 나의 통찰력을 이해하게 할 수 있을 것이다. 5 다른 세대는 사람들의 아들들로 알게 되지 않았으나, 이제는 그의 거룩한 사도들과 성령 안에서 선지자들로 계시된 것과 같다. 6 이방인들은 예수 그리스도 안에서 복음을 통하여 함께 상속한 자와 함께 지체된 자와(그분)의 약속을 함께 나누는 자가 되었다.

**NET**

1 For this reason I, Paul, the prisoner of Christ Jesus for the sake of you Gentiles 2 if indeed you have heard of the stewardship of God's grace that was given to me for you, 3 that by revelation the mystery was made known to me, as I wrote before briefly. 4 When reading this, you will be able to understand my insight into the mystery of Christ 5 (which was not disclosed to people in former generations as it has now been revealed to his holy apostles and prophets by the Spirit), 6 namely, that through the gospel the Gentiles are fellow heirs, fellow members of the body, and fellow partakers of the promise in Christ Jesus.

## 3 Westcott-Hort Greek NT

7 οὗ ἐγενήθην διάκονος κατὰ τὴν δωρεὰν τῆς χάριτος τοῦ θεοῦ τῆς δοθείσης μοι κατὰ τὴν ἐνέργειαν τῆς δυνάμεως αὐτοῦ.

8 ἐμοὶ τῷ ἐλαχιστοτέρῳ πάντων ἁγίων ἐδόθη ἡ χάρις αὕτη τοῖς ἔθνεσιν εὐαγγελίσασθαι τὸ ἀνεξιχνίαστον πλοῦτος τοῦ Χριστοῦ.

9 καὶ φωτίσαι τίς ἡ οἰκονομία τοῦ μυστηρίου τοῦ ἀποκεκρυμμένου ἀπὸ τῶν αἰώνων ἐν τῷ θεῷ τῷ τὰ πάντα κτίσαντι,

10 ἵνα γνωρισθῇ νῦν ταῖς ἀρχαῖς καὶ ταῖς ἐξουσίαις ἐν τοῖς ἐπουρανίοις διὰ τῆς ἐκκλησίας ἡ πολυποίκιλος σοφία τοῦ θεοῦ,

11 κατὰ πρόθεσιν τῶν αἰώνων ἣν ἐποίησεν ἐν τῷ Χριστῷ Ἰησοῦ τῷ κυρίῳ ἡμῶν.

### 맛싸성경

7 이것으로(이 복음으로) 하나님의 은혜의 선물을 따라서 나는 일꾼이 되어졌으니, 그분의 능력의 일하심을 따라서 내게 주신 것이다. 8 모든 거룩한 자('성도')들에게서 가장 작은 나에게 이 은혜가 주어진 것은 측량할 수 없는 그리스도의 부요하심을 이방인들에게 전하게 하시고 9 창조하신 모든 것들을 하나님 안에서 영원부터 무엇이 숨겨진 비밀의 경륜인지를 모든 것들을 밝히셔서 10 그리하여 이제 하나님의 다양한 지혜가 교회를 통하여 하늘에서 통치자들과 권력자들에게 알려지게 하셨으니 11 우리 주님 예수 그리스도 안에서 그분이 행하신 것으로 영원 이전에 계획에 따른 것이다.

### NET

7 I became a servant of this gospel according to the gift of God's grace that was given to me by the exercise of his power. 8 To me—less than the least of all the saints—this grace was given, to proclaim to the Gentiles the unfathomable riches of Christ 9 and to enlighten everyone about God's secret plan—the mystery that has been hidden for ages in God who has created all things. 10 The purpose of this enlightenment is that through the church the multifaceted wisdom of God should now be disclosed to the rulers and the authorities in the heavenly realms. 11 This was according to the eternal purpose that he accomplished in Christ Jesus our Lord,

# 3 | Westcott-Hort Greek NT

12 ἐν ᾧ ἔχομεν τὴν παρρησίαν καὶ προσαγωγὴν ἐν πεποιθήσει διὰ τῆς πίστεως αὐτοῦ.

13 διὸ αἰτοῦμαι μὴ ἐγκακεῖν ἐν ταῖς θλίψεσιν μου ὑπὲρ ὑμῶν ἥτις ἐστιν δόξα ὑμῶν.

---

**맛싸성경**

12 그분 안에서 우리는 담대함과 나아감을 가지고 있으니 그분의 믿음을 통한 확신함이다. 13 그러므로 내가 너희를 위하여 구하니 나의 환난들로 낙심하지 말 것이니, 이것은 너희의 영광이다.

**NET**

12 in whom we have boldness and confident access to God by way of Christ's faithfulness. 13 For this reason I ask you not to lose heart because of what I am suffering for you, which is your glory.

# 3 Westcott-Hort Greek NT

14 Τούτου χάριν κάμπτω τὰ γόνατα μου πρὸς τὸν πατέρα,

15 ἐξ οὗ πᾶσα πατριὰ ἐν οὐρανοῖς καὶ ἐπὶ γῆς ὀνομάζεται,

16 ἵνα δῷ ὑμῖν κατὰ τὸ πλοῦτος τῆς δόξης αὐτοῦ δυνάμει κραταιωθῆναι διὰ τοῦ πνεύματος αὐτοῦ εἰς τὸν ἔσω ἄνθρωπον,

17 κατοικῆσαι τὸν Χριστὸν διὰ τῆς πίστεως ἐν ταῖς καρδίαις ὑμῶν, ἐν ἀγάπῃ ἐρριζωμένοι καὶ τεθεμελιωμένοι.

18 ἵνα ἐξισχύσητε καταλαβέσθαι σὺν πᾶσιν τοῖς ἁγίοις τί τὸ πλάτος καὶ μῆκος καὶ ὕψος καὶ βάθος,

19 γνῶναι τε τὴν ὑπερβάλλουσαν τῆς γνώσεως ἀγάπην τοῦ Χριστοῦ, ἵνα πληρωθῆτε εἰς πᾶν τὸ πλήρωμα τοῦ θεοῦ.

## 맛싸성경

14 이러한 이유로 내가 (우리 주님 예수 그리스도) 아버지께 내 무릎(들)을 꿇고, 15 그로부터 모든 족속들이 하늘과 땅에 이름이 주어지게 되며, 16 그래서 그분이 속 사람을 향하여 그분의 영을 통하여 그분의 영광의 부요하심을 따라서 능력으로 너희를 강건하게 해지도록(해) 주시며, 17 너희 마음들 안에서 믿음을 통하여 그리스도가 거하시게 하며, 사랑 안에서 뿌리가 박히고 또 자리 잡게 하셔서 18 그래서 모든 거룩한 자(성도)들과 함께 너비와 길이와 높이와 깊이가 무엇인지를 붙잡을 수 있게 하시고, 19 지식을 뛰어넘는 그리스도의 사랑을 알아서, 그래서 너희가 하나님의 모든 충만을 위하여, 너희가 충만해지기를 원한다.

## NET

14 For this reason I kneel before the Father, 15 from whom every family in heaven and on earth is named. 16 I pray that according to the wealth of his glory he will grant you to be strengthened with power through his Spirit in the inner person, 17 that Christ will dwell in your hearts through faith, so that, because you have been rooted and grounded in love, 18 you will be able to comprehend with all the saints what is the breadth and length and height and depth, 19 and thus to know the love of Christ that surpasses knowledge, so that you will be filled up to all the fullness of God.

## 3 Westcott-Hort Greek NT

20 Τῷ δὲ δυναμένῳ ὑπὲρ πάντα ποιῆσαι ὑπερεκπερισσοῦ ὧν αἰτούμεθα ἢ νοοῦμεν κατὰ τὴν δύναμιν τὴν ἐνεργουμένην ἐν ἡμῖν,

21 αὐτῷ ἡ δόξα ἐν τῇ ἐκκλησίᾳ καὶ ἐν Χριστῷ Ἰησοῦ εἰς πάσας τὰς γενεὰς τοῦ αἰῶνος τῶν αἰώνων, ἀμήν.

---

### 맛싸성경

20 그래서 우리 안에서 일하는 능력을 따라서, 우리가 구하거나 우리가 생각하는 것보다 모든 것들을 능가하여 능력으로 무한히 행하시는 분, 21 그분께 교회 안에서와 예수 그리스도 안에서 영광이 영원의 영원한 모든 세대까지 있기를 원한다. 아멘.

### NET

20 Now to him who by the power that is working within us is able to do far beyond all that we ask or think, 21 to him be the glory in the church and in Christ Jesus to all generations, forever and ever. Amen.

# 4 Westcott-Hort Greek NT

1 Παρακαλῶ οὖν ὑμᾶς ἐγὼ ὁ δέσμιος ἐν κυρίῳ ἀξίως περιπατῆσαι τῆς κλήσεως ἧς ἐκλήθητε,

2 μετὰ πάσης ταπεινοφροσύνης καὶ πραΰτητος μετὰ μακροθυμίας, ἀνεχόμενοι ἀλλήλων ἐν ἀγάπῃ,

3 σπουδάζοντες τηρεῖν τὴν ἑνότητα τοῦ πνεύματος ἐν τῷ συνδέσμῳ τῆς εἰρήνης·

4 Ἓν σῶμα καὶ ἓν πνεῦμα, καθὼς [καὶ] ἐκλήθητε ἐν μιᾷ ἐλπίδι τῆς κλήσεως ὑμῶν·

5 εἷς κύριος, μία πίστις ἐν βάπτισμα,

6 εἷς θεὸς καὶ πατὴρ πάντων, ὁ ἐπὶ πάντων καὶ διὰ πάντων καὶ ἐν πᾶσιν.

---

**맛싸성경**

1 그러므로 주 안에서 포로인 내가 너희에게 권면하노니, 너희가 부름받은 부르심에 가치 있게 걸으며, 2 모든 겸손과 온유함과 함께, 인내와 함께 사랑 안에서 서로 참아주고 3 평안의 함께 매는 줄 성령의 연합을 지키도록 힘써라. 4 한 몸이며, 한 영이니, 너희 부르심의 한 소망으로 부름받은 것과 같으니, 5 한 주님, 한 믿음, 한 세례, 6 한 하나님 그리고 모든 자들의 아버지이신, 그분은 모든 자들 위에 계시며, 또 모든 자들을 통하시며, 또 모든 자들 가운데 계신 분이시다.

**NET**

1 I, therefore, the prisoner for the Lord, urge you to live worthily of the calling with which you have been called, 2 with all humility and gentleness, with patience, putting up with one another in love, 3 making every effort to keep the unity of the Spirit in the bond of peace. 4 There is one body and one Spirit, just as you too were called to the one hope of your calling, 5 one Lord, one faith, one baptism, 6 one God and Father of all, who is over all and through all and in all.

7 Ἑνὶ δὲ ἑκάστῳ ἡμῶν ἐδόθη [ἡ] χάρις κατὰ τὸ μέτρον τῆς δωρεᾶς τοῦ Χριστοῦ.

8 διὸ λέγει· ἀναβὰς εἰς ὕψος ᾐχμαλώτευσεν αἰχμαλωσίαν, [καὶ] ἔδωκεν δόματα τοῖς ἀνθρώποις.

9 τὸ δὲ Ἀνέβη τί ἐστιν, εἰ μὴ ὅτι καὶ κατέβη εἰς τὰ κατώτερα μέρη τῆς γῆς;.

10 ὁ καταβὰς αὐτός ἐστιν καὶ ὁ ἀναβὰς ὑπεράνω πάντων τῶν οὐρανῶν, ἵνα πληρώσῃ τὰ πάντα.

---

### 맛싸성경

7 그러나 우리 각자에게 그리스도의 선물의 분량을 따라서 은혜가 주어졌으니 8 그러므로 말하기를, "그분이 높이 올라가시면서 포로를 잡으시고, 사람들에게 선물들을 주셨다." 9 그러면 그가 올라가셨다는 것이 무엇이냐? 땅의 낮은 곳으로 내려간 것이 아니냐? 10 내려오신 그분은 그분 자신이시며, 하늘의 모든 것 위로 올라가신 분이시니, 그래서 모든 것들을 충만하게 하려 하심이다.

### NET

7 But to each one of us grace was given according to the measure of Christ's gift. 8 Therefore it says, "When he ascended on high he captured captives; he gave gifts to men." 9 Now what is the meaning of "he ascended," except that he also descended to the lower regions, namely, the earth? 10 He, the very one who descended, is also the one who ascended above all the heavens, in order to fill all things.

11 καὶ αὐτὸς ἔδωκεν τοὺς μὲν ἀποστόλους, τοὺς δὲ προφήτας, τοὺς δὲ εὐαγγελιστάς, τοὺς δὲ ποιμένας καὶ διδασκάλους,

12 πρὸς τὸν καταρτισμὸν τῶν ἁγίων εἰς ἔργον διακονίας, εἰς οἰκοδομὴν τοῦ σώματος τοῦ Χριστοῦ,

13 μέχρι καταντήσωμεν οἱ πάντες εἰς τὴν ἑνότητα τῆς πίστεως καὶ τῆς ἐπιγνώσεως τοῦ υἱοῦ τοῦ θεοῦ, εἰς ἄνδρα τέλειον, εἰς μέτρον ἡλικίας τοῦ πληρώματος τοῦ Χριστοῦ,

14 ἵνα μηκέτι ὦμεν νήπιοι, κλυδωνιζόμενοι καὶ περιφερόμενοι παντὶ ἀνέμῳ τῆς διδασκαλίας ἐν τῇ κυβείᾳ τῶν ἀνθρώπων, ἐν πανουργίᾳ πρὸς τὴν μεθοδείαν τῆς πλάνης,

---

**맛싸성경**

11 그리고 그분이 사도들과 또한 선지자들과 또한 복음 전하는 자들과 또한 목사들과 교사들을 주셔서, 12 거룩한 자들(성도들)을 갖추도록 하기 위하여, 봉사하는 일을 하기 위하며, 그리스도의 몸을 세움을 위하여 하는 것이다. 13 (우리) 모두는 하나님의 아들의 믿음과 지식에 연합으로 이를 때까지, 성숙한 사람으로, 그리스도의 충만함의 장성한 분량으로까지 (이르려고 하니), 14 그래서 더 이상 우리가 어린아이가 되지 않아서, 사람들의 간교함으로, 간사함으로, 속임수의 교활함에 관련하여, 가르침의 모든 바람에 날려 다니거나, 흔들리지 않게 하려 함이라.

**NET**

11 And he himself gave some as apostles, some as prophets, some as evangelists, and some as pastors and teachers, 12 to equip the saints for the work of ministry, that is, to build up the body of Christ, 13 until we all attain to the unity of the faith and of the knowledge of the Son of God—a mature person, attaining to the measure of Christ's full stature. 14 So we are no longer to be children, tossed back and forth by waves and carried about by every wind of teaching by the trickery of people who craftily carry out their deceitful schemes.

15 ἀληθεύοντες δὲ ἐν ἀγάπῃ αὐξήσωμεν εἰς αὐτὸν τὰ πάντα, ὅς ἐστιν ἡ κεφαλή, Χριστός,

16 ἐξ οὗ πᾶν τὸ σῶμα συναρμολογούμενον καὶ συμβιβαζόμενον διὰ πάσης ἁφῆς τῆς ἐπιχορηγίας κατ' ἐνέργειαν ἐν μέτρῳ ἑνὸς ἑκάστου μέρους τὴν αὔξησιν τοῦ σώματος ποιεῖται εἰς οἰκοδομὴν ἑαυτοῦ ἐν ἀγάπῃ.

### 맛싸성경

15 오히려 사랑 안에서 진리를 말하여 모든 것에서 그분까지 성장할 것이니 그분은 머리이신 그리스도이시다. 16 그분에게서부터 모든 몸이 함께 맞추어지고, 함께 연합해지고 있으니, 돕는 모든 인대를 통하여 역사하심을 따라서, 한 몸의 분량 안에서 각자 부분(의) 사랑 안에서 서로 세우기 위한 몸의 성장이다.

### NET

15 But practicing the truth in love, we will in all things grow up into Christ, who is the head. 16 From him the whole body grows, fitted and held together through every supporting ligament. As each one does its part, the body builds itself up in love.

17 Τοῦτο οὖν λέγω καὶ μαρτύρομαι ἐν κυρίῳ, μηκέτι ὑμᾶς περιπατεῖν, καθὼς καὶ τὰ ἔθνη περιπατεῖ ἐν ματαιότητι τοῦ νοὸς αὐτῶν,

18 ἐσκοτωμένοι τῇ διανοίᾳ ὄντες, ἀπηλλοτριωμένοι τῆς ζωῆς τοῦ θεοῦ διὰ τὴν ἄγνοιαν τὴν οὖσαν ἐν αὐτοῖς, διὰ τὴν πώρωσιν τῆς καρδίας αὐτῶν.

19 οἵτινες ἀπηλγηκότες ἑαυτοὺς παρέδωκαν τῇ ἀσελγείᾳ εἰς ἐργασίαν ἀκαθαρσίας πάσης ἐν πλεονεξίᾳ.

20 ὑμεῖς δὲ οὐχ οὕτως ἐμάθετε τὸν Χριστόν.

## 맛싸성경

17 그러므로 이것을 내가 말하고 또 주안에서 증언하노니 너희는 더 이상 걷지 마라는 것이니, 또 그들의 생각의 허망함 안에서 이방인들이 걸었던 것 같은 것이다. 18 지각이 어두워졌고, 그들 안에서 있었던 무지를 인하여 하나님의 생명에서부터 소외되어졌으니, 그들의 마음의 완고함을 인함이다. 19 그들이 서로 냉담하게 되었고, 방탕함에 내주었으니, 탐욕에 모든 더러움의 추구함이다. 20 그러나 너희는 그리스도를 이같이 배우지 않았다.

## NET

17 So I say this, and insist in the Lord, that you no longer live as the Gentiles do, in the futility of their thinking. 18 They are darkened in their understanding, being alienated from the life of God because of the ignorance that is in them due to the hardness of their hearts. 19 Because they are callous, they have given themselves over to indecency for the practice of every kind of impurity with greediness. 20 But you did not learn about Christ like this,

21 εἴ γε αὐτὸν ἠκούσατε καὶ ἐν αὐτῷ ἐδιδάχθητε, καθὼς ἐστιν ἀλήθεια ἐν τῷ Ἰησοῦ,

22 ἀποθέσθαι ὑμᾶς κατὰ τὴν προτέραν ἀναστροφὴν τὸν παλαιὸν ἄνθρωπον τὸν φθειρόμενον κατὰ τὰς ἐπιθυμίας τῆς ἀπάτης,

23 ἀνανεοῦσθαι δὲ τῷ πνεύματι τοῦ νοὸς ὑμῶν.

24 καὶ ἐνδύσασθαι τὸν καινὸν ἄνθρωπον τὸν κατὰ θεὸν κτισθέντα ἐν δικαιοσύνῃ καὶ ὁσιότητι τῆς ἀληθείας.

---

**맛싸성경**

21 너희가 만일 그에(대하여) 들었고, 그 안에서 배웠으면, 예수 안에서 진리가 있는 것과 같다. 22 너희는 이전의 행동을 따르고, 속임수의 정욕을 따라가는 타락한 옛 사람을 벗어버리고, 23 오히려 너희 생각의 영 안에서 새롭게 되고, 24 그리고 진리의 의와 거룩으로 하나님의 창조, 새 사람을 입어라.

**NET**

21 if indeed you heard about him and were taught in him, just as the truth is in Jesus. 22 You were taught with reference to your former way of life to lay aside the old man who is being corrupted in accordance with deceitful desires, 23 to be renewed in the spirit of your mind, 24 and to put on the new man who has been created in God's image—in righteousness and holiness that comes from truth.

**4** Westcott–Hort Greek NT

25 Διὸ ἀποθέμενοι τὸ ψεῦδος λαλεῖτε ἀλήθειαν ἕκαστος μετὰ τοῦ πλησίον αὐτοῦ, ὅτι ἐσμὲν ἀλλήλων μέλη.

26 ὀργίζεσθε καὶ μὴ ἁμαρτάνετε· ὁ ἥλιος μὴ ἐπιδυέτω ἐπὶ παροργισμῷ ὑμῶν,

27 μηδὲ δίδοτε τόπον τῷ διαβόλῳ.

28 ὁ κλέπτων μηκέτι κλεπτέτω, μᾶλλον δὲ κοπιάτω ἐργαζόμενος ταῖς χερσὶν τὸ ἀγαθόν, ἵνα ἔχῃ μεταδιδόναι τῷ χρείαν ἔχοντι.

---

**맛싸성경**

25 그러므로 거짓을 벗어 버리고, 각자 이웃과 함께 진리를 말할 것이니, 곧 우리가 서로 지체이기 때문이다. 26 화가 나도 죄를 짓지 마라. 태양이 질 때까지 네가 화가 나 있지 않도록 하라. 27 마귀에게 틈을 주지 마라. 28 훔치는 자는 더이상 훔치지 말고, 선한 손들의 일들로 더 수고하여, 그리하여 필요를 가지는 자들에게 그는 나누어 주어라.

**NET**

25 Therefore, having laid aside falsehood, each one of you speak the truth with his neighbor because we are members of one another. 26 Be angry and do not sin; do not let the sun go down on the cause of your anger. 27 Do not give the devil an opportunity. 28 The one who steals must steal no longer; instead he must labor, doing good with his own hands, so that he will have something to share with the one who has need.

29 πᾶς λόγος σαπρὸς ἐκ τοῦ στόματος ὑμῶν μὴ ἐκπορευέσθω, ἀλλὰ εἴ τις ἀγαθὸς πρὸς οἰκοδομὴν τῆς χρείας, ἵνα δῷ χάριν τοῖς ἀκούουσιν.

30 καὶ μὴ λυπεῖτε τὸ πνεῦμα τὸ ἅγιον τοῦ θεοῦ ἐν ᾧ ἐσφραγίσθητε εἰς ἡμέραν ἀπολυτρώσεως.

31 πᾶσα πικρία καὶ θυμὸς καὶ ὀργὴ καὶ κραυγὴ καὶ βλασφημία ἀρθήτω ἀφ' ὑμῶν σὺν πάσῃ κακίᾳ.

32 γίνεσθε [δὲ] εἰς ἀλλήλους χρηστοί, εὔσπλαγχνοι, χαριζόμενοι ἑαυτοῖς, καθὼς καὶ ὁ θεὸς ἐν Χριστῷ ἐχαρίσατο ὑμῖν.

---

**맛싸성경**

29 누구든지 너희 입에서부터 해로운 말은 나오게 하지 말고, 오히려 필요에 따라 세우도록 하기 위하여 선한 것을(말)하여, 그래서 듣는 자들에게 은혜를 주도록 하여라. 30 하나님의 성령을 근심하게 하지 마라, 그분 안에서 속전하는 날들을 위하여 인이 찍혀졌다. 31 모든 쓸쓸함과 분노와 화, 그리고 소리 지름, 그리고 중상모략을 모든 악과 함께, 너희에게서부터 제거해 버리고, 32 서로 선하게 되기 위하여 불쌍히 여기고, 서로에게 은혜를 베풀어 주라! 또한 하나님이 우리에게 은혜를 베풀어 주신 것과 같기 때문이다.

**NET**

29 You must let no unwholesome word come out of your mouth, but only what is beneficial for the building up of the one in need, that it would give grace to those who hear. 30 And do not grieve the Holy Spirit of God, by whom you were sealed for the day of redemption. 31 You must put away all bitterness, anger, wrath, quarreling, and slanderous talk—indeed all malice. 32 Instead, be kind to one another, compassionate, forgiving one another, just as God in Christ also forgave you.

**5** Westcott-Hort Greek NT

1 Γίνεσθε οὖν μιμηταὶ τοῦ θεοῦ ὡς τέκνα ἀγαπητά.

2 καὶ περιπατεῖτε ἐν ἀγάπῃ, καθὼς καὶ ὁ Χριστὸς ἠγάπησεν ὑμᾶς καὶ παρέδωκεν ἑαυτὸν ὑπὲρ ὑμῶν προσφορὰν καὶ θυσίαν τῷ θεῷ εἰς ὀσμὴν εὐωδίας.

3 πορνεία δὲ καὶ ἀκαθαρσία πᾶσα ἢ πλεονεξία μηδὲ ὀνομαζέσθω ἐν ὑμῖν, καθὼς πρέπει ἁγίοις,

4 καὶ αἰσχρότης καὶ μωρολογία ἢ εὐτραπελία, ἃ οὐκ ἀνῆκεν ἀλλὰ μᾶλλον εὐχαριστία.

5 τοῦτο γὰρ ἴστε γινώσκοντες, ὅτι πᾶς πόρνος ἢ ἀκάθαρτος ἢ πλεονέκτης, ὅ ἐστιν εἰδωλολάτρης, οὐκ ἔχει κληρονομίαν ἐν τῇ βασιλείᾳ τοῦ Χριστοῦ καὶ θεοῦ.

---

**맛싸성경**

1 그러므로 사랑받은 자녀들과 같이 너희는 하나님을 본받는 자가 되며, 2 그리고 사랑안에서 걸으라! 이는 그리스도께서 우리를 사랑하셨고, 그리고 우리를 위하여 향기로운 향으로, 자신을 예물과 하나님께 제물로 드리셨기 때문이다. 3 그러나 음행과 모든 부정 혹은 탐욕은 너희에게서 이름도 불리지 않게 할 것이니 이는 거룩한 자들에게 합당한 것이기 때문이다. 4 그리고 외설, 어리석은 말, 음담패설은 적절하지 않으니, 오히려 감사하라. 5 이는 너희는 이것을 알고 있으니, 모든 음행하는 자, 혹은 부정하는 자, 혹은 탐욕자, 곧 우상 숭배자는 그리스도와 하나님의 왕국에서 유산을 가지지 않는다.

**NET**

1 Therefore, be imitators of God as dearly loved children 2 and live in love, just as Christ also loved us and gave himself for us, a sacrificial and fragrant offering to God. 3 But among you there must not be either sexual immorality, impurity of any kind, or greed, as these are not fitting for the saints. 4 Neither should there be vulgar speech, foolish talk, or coarse jesting—all of which are out of character—but rather thanksgiving. 5 For you can be confident of this one thing: that no person who is immoral, impure, or greedy (such a person is an idolater) has any inheritance in the kingdom of Christ and God.

6 Μηδεὶς ὑμᾶς ἀπατάτω κενοῖς λόγοις· διὰ ταῦτα γὰρ ἔρχεται ἡ ὀργὴ τοῦ θεοῦ ἐπὶ τοὺς υἱοὺς τῆς ἀπειθείας.

7 μὴ οὖν γίνεσθε συμμέτοχοι αὐτῶν·

8 ἦτε γάρ ποτε σκότος, νῦν δὲ φῶς ἐν κυρίῳ· ὡς τέκνα φωτὸς περιπατεῖτε-.

9 ὁ γὰρ καρπὸς τοῦ φωτὸς ἐν πάσῃ ἀγαθωσύνῃ καὶ δικαιοσύνῃ καὶ ἀληθείᾳ-.

10 δοκιμάζοντες τί ἐστιν εὐάρεστον τῷ κυρίῳ,

11 καὶ μὴ συγκοινωνεῖτε τοῖς ἔργοις τοῖς ἀκάρποις τοῦ σκότους, μᾶλλον δὲ καὶ ἐλέγχετε.

---

**맛싸성경**

6 아무도 너희를 빈 말들로 속이지 못하게 하라. 이것들을 인하여 하나님의 진노가 불순종의 아들들에게 오고 있다. 7 그러므로 그들과 함께 나누는 자가 되지 마라. 8 이는 너희가 전에는 어두움이었더니, 이제는 주 안에서 빛이라. 빛의 자녀들로 너희는 걸으라. 9 이는 빛('영')의 열매는 모든 선과 의와 진리이다. 10 무엇으로 주를 기쁘시게 할 것인지 살펴보며, 11 그리고 어둠의 열매 없는 일들에 함께 참여하지 말고, 그러나 오히려 너희는 드러내라.

**NET**

6 Let nobody deceive you with empty words, for because of these things God's wrath comes on the sons of disobedience. 7 Therefore do not be sharers with them, 8 for you were at one time darkness, but now you are light in the Lord. Live like children of light— 9 for the fruit of the light consists in all goodness, righteousness, and truth— 10 trying to learn what is pleasing to the Lord. 11 Do not participate in the unfruitful deeds of darkness, but rather expose them.

**5** Westcott-Hort Greek NT

12 τὰ γὰρ κρυφῇ γινόμενα ὑπ' αὐτῶν αἰσχρόν ἐστιν καὶ λέγειν,

13 τὰ δὲ πάντα ἐλεγχόμενα ὑπὸ τοῦ φωτὸς φανεροῦται,

14 πᾶν γὰρ τὸ φανερούμενον φῶς ἐστιν. διὸ λέγει· ἔγειρε, ὁ καθεύδων, καὶ ἀνάστα ἐκ τῶν νεκρῶν, καὶ ἐπιφαύσει σοι ὁ Χριστός.

---

**맛싸성경**

12 이는 은밀히 그들에 의해서 일어나는 일들은 또한 말하기도 창피한 일이다. 13 그러나 빛에 의해서 그것이 비추어짐으로 모든 것들이 드러나진다. 14 이는 빛이 있으면, 모든 것들이 보여진다. 그러므로 말씀하시기를, "일어나라, 잠자는 자여 죽은 자로부터 일어나라. 그리스도께서 네게 비칠 것이다."

**NET**

12 For the things they do in secret are shameful even to mention. 13 But all things being exposed by the light are made visible. 14 For everything made visible is light, and for this reason it says: "Awake, O sleeper! Rise from the dead, and Christ will shine on you!"

# 5

Westcott-Hort Greek NT

15 Βλέπετε οὖν ἀκριβῶς πῶς περιπατεῖτε, μὴ ὡς ἄσοφοι ἀλλ' ὡς σοφοί,

16 ἐξαγοραζόμενοι τὸν καιρόν, ὅτι αἱ ἡμέραι πονηραί εἰσιν.

17 διὰ τοῦτο μὴ γίνεσθε ἄφρονες, ἀλλὰ συνίετε τί τὸ θέλημα τοῦ κυρίου.

18 καὶ μὴ μεθύσκεσθε οἴνῳ ἐν ᾧ ἐστιν ἀσωτία, ἀλλὰ πληροῦσθε ἐν πνεύματι,

19 λαλοῦντες ἑαυτοῖς ψαλμοῖς καὶ ὕμνοις καὶ ᾠδαῖς πνευματικαῖς, ᾄδοντες καὶ ψάλλοντες τῇ καρδίᾳ ὑμῶν τῷ κυρίῳ,

20 εὐχαριστοῦντες πάντοτε ὑπὲρ πάντων ἐν ὀνόματι τοῦ κυρίου ἡμῶν Ἰησοῦ Χριστοῦ τῷ θεῷ καὶ πατρί.

21 Ὑποτασσόμενοι ἀλλήλοις ἐν φόβῳ Χριστοῦ,

---

## 맛싸성경

15 그러므로 너희가 어떻게 살아야 할지 주의하여 보고, 지혜 없는 자가 되지 말고, 오히려 지혜있는 자가 되라. 16 그 시간을 최대한 활용하여라. 이는 시대가 악하기 때문이다. 17 이런 이유로 어리석은 자가 되지 말고, 오히려 주님의 뜻이 무엇인지 이해하여라. 18 그리고 술 취하지 마라! 이것은 방탕이니, 오히려 성령으로 충만해져라. 19 찬송과 찬미와 영적 노래로 각자 소리 내고, 노래하며, 너희 마음으로 주님께 찬송하고, 20 항상 우리 주님 예수 그리스도의 이름으로 하나님과 아버지께 모든 것들을 인하여 감사하며, 21 그리스도를 경외함으로 서로 복종하여라.

## NET

15 Therefore consider carefully how you live—not as unwise but as wise, 16 taking advantage of every opportunity because the days are evil. 17 For this reason do not be foolish, but be wise by understanding what the Lord's will is. 18 And do not get drunk with wine, which is debauchery, but be filled by the Spirit, 19 speaking to one another in psalms, hymns, and spiritual songs, singing and making music in your hearts to the Lord, 20 always giving thanks to God the Father for all things in the name of our Lord Jesus Christ, 21 and submitting to one another out of reverence for Christ.

22 αἱ γυναῖκες τοῖς ἰδίοις ἀνδράσιν ὡς τῳ κυρίῳ,

23 ὅτι ἀνήρ ἐστιν κεφαλὴ τῆς γυναικὸς ὡς καὶ ὁ Χριστὸς κεφαλὴ τῆς ἐκκλησίας, αὐτὸς σωτὴρ τοῦ σώματος·

24 ἀλλὰ ὡς ἡ ἐκκλησία ὑποτάσσεται τῷ Χριστῷ, οὕτως καὶ αἱ γυναῖκες τοῖς ἀνδράσιν ἐν παντί.

25 Οἱ ἄνδρες, ἀγαπᾶτε τὰς γυναῖκας, καθὼς καὶ ὁ Χριστὸς ἠγάπησεν τὴν ἐκκλησίαν καὶ ἑαυτὸν παρέδωκεν ὑπὲρ αὐτῆς,

26 ἵνα αὐτὴν ἁγιάσῃ καθαρίσας τῷ λουτρῳ τοῦ ὕδατος ἐν ῥήματι,

27 ἵνα παραστήσῃ αὐτὸς ἑαυτῷ ἔνδοξον τὴν ἐκκλησίαν, μὴ ἔχουσαν σπίλον ἢ ῥυτίδα ἤ τι τῶν τοιούτων, ἀλλ' ἵνα ᾖ ἁγία καὶ ἄμωμος.

---

**맛싸성경**

22 아내들아! 자기 남편들에게 주님께와 같이 하라. 23 이는 남편은 아내의 머리이니, 그리스도께서 교회의 머리이시며, 또한 그분이 몸의 구(세)주인 것과 같다. 24 그러나 교회가 그리스도께 복종하는 것과 같이, 여자도 모든 일에 남편들에게 이같이 하라. 25 남편들은 아내들을 사랑할 것이니, 또한 그리스도께서 교회를 사랑하셨고, 또 그것을(교회를) 위하여 자신을 넘겨주셨으니, 26 그래서 그것을(교회) 거룩하게 하셨고 말씀으로 물의 씻음과 함께 정결하게 하셨으며, 27 그래서 그분이 그것을(교회를) 그에게 영광스러운 교회로 두게 하셨고 점이나, 주름이나, 이런 것들이 없이, 오히려 거룩하고 흠이 없게 하려 하심이다.

**NET**

22 Wives, submit to your husbands as to the Lord, 23 because the husband is the head of the wife as also Christ is the head of the church (he himself being the savior of the body). 24 But as the church submits to Christ, so also wives should submit to their husbands in everything. 25 Husbands, love your wives just as Christ loved the church and gave himself for her 26 to sanctify her by cleansing her with the washing of the water by the word, 27 so that he may present the church to himself as glorious—not having a stain or wrinkle, or any such blemish, but holy and blameless.

28 οὕτως ὀφείλουσιν [καὶ] οἱ ἄνδρες ἀγαπᾶν τὰς ἑαυτῶν γυναῖκας ὡς τὰ ἑαυτῶν σώματα. ὁ ἀγαπῶν τὴν ἑαυτοῦ γυναῖκα ἑαυτὸν ἀγαπᾷ·

29 οὐδεὶς γάρ ποτε τὴν ἑαυτοῦ σάρκα ἐμίσησεν ἀλλὰ ἐκτρέφει καὶ θάλπει αὐτήν, καθὼς καὶ ὁ Χριστὸς τὴν ἐκκλησίαν,

30 ὅτι μέλη ἐσμὲν τοῦ σώματος αὐτοῦ.

31 ἀντὶ τούτου καταλείψει ἄνθρωπος [τὸν] πατέρα καὶ [τὴν] μητέρα καὶ προσκολληθήσεται πρὸς τὴν γυναῖκα αὐτοῦ καὶ ἔσονται οἱ δύο εἰς σάρκα μίαν.

32 τὸ μυστήριον τοῦτο μέγα ἐστίν· ἐγὼ δὲ λέγω εἰς Χριστὸν καὶ [εἰς] τὴν ἐκκλησίαν.

33 πλὴν καὶ ὑμεῖς οἱ καθ' ἕνα, ἕκαστος τὴν ἑαυτοῦ γυναῖκα οὕτως ἀγαπάτω ὡς ἑαυτόν, ἡ δὲ γυνὴ ἵνα φοβῆται τὸν ἄνδρα.

---

**맛싸성경**

28 이같이 남편들도 자신의 몸들을 사랑하는 것과 같이 자신의 아내들을 사랑하는 것이 이같이 당연하다. 자신의 아내를 사랑하는 자는 그 자신도 사랑하는 것이다. 29 이는 한번도 어떤 사람도 그 자신의 육체를 미워하는 자가 없는 것 같이 오히려 양육하고, 그것을 먹이니, 그리스도께서 교회에 하심과 같다. 30 우리는 그의 몸의 지체이고, 그의 살, 그리고 또한 그의 뼈에서부터 나왔다. 31 이런 이유로 사람이 아버지를 떠나서 그의 아내와 함께 연합하여, 그래서 둘이 한 육체가 될 것이라. 32 이것은 큰 비밀이다. 그러나 바로 그리스도에 대해서 그리고 교회에 대해서 내가 말한다. 33 그럼에도 또한 너희도 하나같은 자들이니, 각자 그 자신의 아내를 이같이 그 자신 같이 사랑할 것이니, 그래서 아내도 남편을 경외하게 함이다.

**NET**

28 In the same way husbands ought to love their wives as their own bodies. He who loves his wife loves himself. 29 For no one has ever hated his own body, but he feeds it and takes care of it, just as Christ also does the church, 30 because we are members of his body. 31 For this reason a man will leave his father and mother and will be joined to his wife, and the two will become one flesh. 32 This mystery is great—but I am actually speaking with reference to Christ and the church. 33 Nevertheless, each one of you must also love his own wife as he loves himself, and the wife must respect her husband.

# 6 | Westcott-Hort Greek NT

1 Τὰ τέκνα ὑπακούετε τοῖς γονεῦσιν ὑμῶν [ἐν κυρίῳ]· τοῦτο γάρ ἐστιν δίκαιον.

2 τίμα τὸν πατέρα σου καὶ τὴν μητέρα, ἥτις ἐστιν ἐντολὴ πρώτη ἐν ἐπαγγελίᾳ,

3 ἵνα εὖ σοι γένηται καὶ ἔσῃ μακροχρόνιος ἐπὶ τῆς γῆς.

4 Καὶ οἱ πατέρες, μὴ παροργίζετε τὰ τέκνα ὑμῶν ἀλλὰ ἐκτρέφετε αὐτὰ ἐν παιδείᾳ καὶ νουθεσίᾳ κυρίου.

---

## 맛싸성경

1 자녀들아! 주 안에서 너희 부모들에게 순종하라. 이는 이것이 옳다. 2 네 아버지와 어머니를 공경하라. 이것이 약속에서 첫째 명령이니, 3 그래서 이것으로 네가 잘 되고, 또 그 땅에서 네가 오래 살 것이기 때문이다. 4 그리고 아버지들아! 너희 자녀들을 화나게 하지 말고, 오히려 주의 훈련과 경계로 그들을 양육하라.

## NET

1 Children, obey your parents in the Lord, for this is right. 2 "Honor your father and mother," which is the first commandment accompanied by a promise, namely, 3 "that it will go well with you and that you will live a long time on the earth." 4 Fathers, do not provoke your children to anger, but raise them up in the discipline and instruction of the Lord.

5 Οἱ δοῦλοι, ὑπακούετε τοῖς κατὰ σάρκα κυρίοις μετὰ φόβου καὶ τρόμου ἐν ἁπλότητι τῆς καρδίας ὑμῶν ὡς τῷ Χριστῷ,

6 μὴ κατ' ὀφθαλμοδουλίαν ὡς ἀνθρωπάρεσκοι ἀλλ' ὡς δοῦλοι Χριστοῦ ποιοῦντες τὸ θέλημα τοῦ θεοῦ ἐκ ψυχῆς,

7 μετ' εὐνοίας δουλεύοντες ὡς τῷ κυρίῳ καὶ οὐκ ἀνθρώποις,

8 εἰδότες ὅτι ἕκαστος ἐάν τι ποιήσῃ ἀγαθόν, τοῦτο κομίσεται παρὰ κυρίου εἴτε δοῦλος εἴτε ἐλεύθερος.

9 Καὶ οἱ κύριοι τὰ αὐτὰ ποιεῖτε πρὸς αὐτούς, ἀνιέντες τὴν ἀπειλήν, εἰδότες ὅτι καὶ αὐτῶν καὶ ὑμῶν ὁ κύριος ἐστιν ἐν οὐρανοῖς καὶ προσωπολημψία οὐκ ἔστιν παρ' αὐτῷ.

## 맛싸성경

5 종들아! 육체에 따른 주인들에게 두려움과 떨림으로 너희 마음의 신실함 안에서 그리스도께와 같이 순종하라. 6 일하는 체 함으로 사람만을 기쁘게 하지 말고, 오히려 영혼에서부터 하나님의 뜻을 행하는 그리스도의 종들 같이 되어라. 7 기쁜 뜻과 함께 섬기고 주님 같이 하고, 사람들에게 (같이) 하지 마라. 8 각 사람이 만일 그가 선한 것을 행할 줄 알면 그도 주께로부터 그것을 받을 것이니 종이든지, 자유인이든지 그러하다. 9 그리고 주인들아! 그들에 대하여 이것들을 행하고, 협박을 그만하라. 너희와 우리에게는 하늘에서 주님이 계신다는 것을 알 것이니, 그 앞에서 차별하지 않으신다.

## NET

5 Slaves, obey your human masters with fear and trembling, in the sincerity of your heart, as to Christ, 6 not like those who do their work only when someone is watching—as people-pleasers—but as slaves of Christ doing the will of God from the heart. 7 Obey with enthusiasm, as though serving the Lord and not people, 8 because you know that each person, whether slave or free, if he does something good, this will be rewarded by the Lord. 9 Masters, treat your slaves the same way, giving up the use of threats, because you know that both you and they have the same master in heaven, and there is no favoritism with him.

10 Τοῦ λοιποῦ, ἐνδυναμοῦσθε ἐν κυρίῳ καὶ ἐν τῷ κράτει τῆς ἰσχύος αὐτοῦ.

11 ἐνδύσασθε τὴν πανοπλίαν τοῦ θεοῦ πρὸς τὸ δύνασθαι ὑμᾶς στῆναι πρὸς τὰς μεθοδείας τοῦ διαβόλου·

12 ὅτι οὐκ ἔστιν ἡμῖν ἡ πάλη πρὸς αἷμα καὶ σάρκα ἀλλὰ πρὸς τὰς ἀρχάς, πρὸς τὰς ἐξουσίας, πρὸς τοὺς κοσμοκράτορας τοῦ σκότους τούτου, πρὸς τὰ πνευματικὰ τῆς πονηρίας ἐν τοῖς ἐπουρανίοις.

---

**맛싸성경**

10 마지막으로, 주 안에서 또 그의 능력의 주권 안에서 강해지고, 11 마귀의 계략에 대항하여 너희로 설 수 있도록 하나님의 완전 군장을 (취해) 입으라. 12 이 것은 우리에게 피와 살에 대항하는 싸움이 아니라, 오히려 통치자에 대항하고, 권세에 대항하며, 이 어두움의 세상 통치자들에 대항하고, 하늘에 있는 악한 영적인 것들에 대항하는 것이다.

**NET**

10 Finally, be strengthened in the Lord and in the strength of his power. 11 Clothe yourselves with the full armor of God, so that you will be able to stand against the schemes of the devil. 12 For our struggle is not against flesh and blood, but against the rulers, against the powers, against the world rulers of this darkness, against the spiritual forces of evil in the heavens.

13 διὰ τοῦτο ἀναλάβετε τὴν πανοπλίαν τοῦ θεοῦ, ἵνα δυνηθῆτε ἀντιστῆναι ἐν τῇ ἡμέρᾳ τῇ πονηρᾷ καὶ ἅπαντα κατεργασάμενοι στῆναι.

14 στῆτε οὖν περιζωσάμενοι τὴν ὀσφὺν ὑμῶν ἐν ἀληθείᾳ καὶ ἐνδυσάμενοι τὸν θώρακα τῆς δικαιοσύνης.

15 καὶ ὑποδησάμενοι τοὺς πόδας ἐν ἑτοιμασίᾳ τοῦ εὐαγγελίου τῆς εἰρήνης,

16 ἐν πᾶσιν ἀναλαβόντες τὸν θυρεὸν τῆς πίστεως, ἐν ᾧ δυνήσεσθε πάντα τὰ βέλη τοῦ πονηροῦ [τὰ] πεπυρωμένα σβέσαι·

---

## 맛싸성경

13 이런 이유로 하나님의 완전 군장을 취하라. 그래서 악한 날들에 맞서게 할 수 있도록 하기 위함이며, 이 모든 것들을 정복하여 서게 하기 위함이다. 14 그러므로 너희는 서서 진리로 너희 허리띠를 두르고 의의 가슴판을 입고, 15 그리고 평안의 복음의 장비로 발들에 (신을) 신고, 16 모든 것들에 믿음의 방패를 취하라. 그것으로 서서 모든 악한 자들의 불 화살을 끄도록 할 수 있게 함이다.

## NET

13 For this reason, take up the full armor of God so that you may be able to stand your ground on the evil day, and having done everything, to stand. 14 Stand firm therefore, by fastening the belt of truth around your waist, by putting on the breastplate of righteousness, 15 by fitting your feet with the preparation that comes from the good news of peace, 16 and in all of this, by taking up the shield of faith with which you can extinguish all the flaming arrows of the evil one.

17 καὶ τὴν περικεφαλαίαν τοῦ σωτηρίου δέξασθε καὶ τὴν μάχαιραν τοῦ πνεύματος, ὅ ἐστιν ῥῆμα θεοῦ.

18 διὰ πάσης προσευχῆς καὶ δεήσεως προσευχόμενοι ἐν παντὶ καιρῷ ἐν πνεύματι, καὶ εἰς αὐτὸ ἀγρυπνοῦντες ἐν πάσῃ προσκαρτερήσει καὶ δεήσει περὶ πάντων τῶν ἁγίων.

19 καὶ ὑπὲρ ἐμοῦ, ἵνα μοι δοθῇ λόγος ἐν ἀνοίξει τοῦ στόματος μου, ἐν παρρησίᾳ γνωρίσαι τὸ μυστήριον [τοῦ εὐαγγελίου],

20 ὑπὲρ οὗ πρεσβεύω ἐν ἁλύσει, ἵνα ἐν αὐτῷ παρρησιάσωμαι ὡς δεῖ με λαλῆσαι.

## 맛싸성경

17 그리고 구원의 투구와 하나님의 말씀인 성령의 검을 취하라. 18 모든 것을 통하여 기도와 간구로 모든 때에, 성령 안에서 기도하며, 또 이것을 위해서 모든 인내와 간구로 모든 거룩한 자들에 대해서 깨어 있으며, 19 또한 나를 위해서 그리하여 내게 말씀을 주시도록 하여 내 입을 여는 것으로, 복음의 비밀을 알게 하도록 담대하게 함이다. 20 이 일을 위하여 사슬로 (있는) 대사이니, 그래서 내가 말해야 하는 것과 같이 그것에서 내가 담대하게 되었다.

## NET

17 And take the helmet of salvation and the sword of the Spirit (which is the word of God). 18 With every prayer and petition, pray at all times in the Spirit, and to this end be alert, with all perseverance and petitions for all the saints. 19 Pray for me also, that I may be given the right words when I begin to speak—that I may confidently make known the mystery of the gospel, 20 for which I am an ambassador in chains. Pray that I may be able to speak boldly as I ought to speak.

21 Ἵνα δὲ εἰδῆτε καὶ ὑμεῖς τὰ κατ' ἐμέ, τί πράσσω, πάντα γνωρίσει ὑμῖν Τύχικος ὁ ἀγαπητὸς ἀδελφὸς καὶ πιστὸς διάκονος ἐν κυρίῳ,

22 ὃν ἔπεμψα πρὸς ὑμᾶς εἰς αὐτὸ τοῦτο, ἵνα γνῶτε τὰ περὶ ἡμῶν καὶ παρακαλέσῃ τὰς καρδίας ὑμῶν.

23 Εἰρήνη τοῖς ἀδελφοῖς καὶ ἀγάπη μετὰ πίστεως ἀπὸ θεοῦ πατρὸς καὶ κυρίου Ἰησοῦ Χριστοῦ.

24 ἡ χάρις μετὰ πάντων τῶν ἀγαπώντων τὸν κυρίον ἡμῶν Ἰησοῦν Χριστὸν ἐν ἀφθαρσίᾳ.

## 맛싸성경

21 그리하여 너희는 나에 대한 것들이, 어떻게 되는지를 너희에게 알게 할 것이니, 사랑받는 형제이며, 주 안에서 신실한 일꾼인, 두기고가 모든 것들을 알게 할 것이다. 22 내가 너희에게 이 일을 위하여 그를 보내서 그래서 너희에 대해서 일들을 알게 하고, 또 너희 마음을 위로하게 함이다. 23 평안이 형제들에게와 그리고 하나님 아버지(로부터)와 주님 예수 그리스도로부터 믿음과 함께 사랑이 (있기를 원하며), 24 은혜가 우리 주님 예수 그리스도를 영원히 사랑하는 모든 자들과 함께 (있기를 원한다).

## NET

21 Tychicus, my dear brother and faithful servant in the Lord, will make everything known to you, so that you too may know about my circumstances, how I am doing. 22 I have sent him to you for this very purpose, that you may know our circumstances and that he may encourage your hearts. 23 Peace to the brothers and sisters, and love with faith, from God the Father and the Lord Jesus Christ. 24 Grace be with all those who love our Lord Jesus Christ with an undying love.

# COVENANT UNIVERSITY

# 목회자를 위한 설교학 석,박사 통합 과정 소개

## 1. 수업 진행
1) 월간 맛싸 31-33호를 듣기
2) 각권에 따라 원하는 본문을 원문에 근거하여 설교문을 작성하고 먼저 제출하기
3) 먼저 제출된 설교문을 컨설팅하고 완성된 설교문으로 설교하는 동영상(30분)을 촬영하여 제출하기

## 2. 수강 과목
**1) 월간 맛싸 31호 13학점**
   (1) 요나(1-9회차) 2학점 - 설교 2편 작성 제출
   (2) 요엘(10-21회차) 2학점 - 설교 2편 작성 제출
   (3) 학개(22-28회차) 2학점 - 설교 2편 작성 제출
   (4) 말라기(29-38회차) 2학점 - 설교 2편 작성 제출
   (5) 오바댜(39-41회차) 1학점 - 설교 1편 작성 제출
   (6) 하박국(42-51회차) 2학점 - 설교 2편 작성 제출
   (7) 스바냐(52-61회차) 2학점 - 설교 2편 작성 제출

**2) 맛싸 32호 13학점**
   (1) 시편 119편(1-22회차) 2학점 - 설교 2편 작성 제출
   (2) 시편 120-134편(올라가는 노래)(23-38회차) 6학점 - 설교 6편 작성 제출
   (3) 시편 135-150편(39-61회차) 5학점 - 설교 5편 작성 제출

**3) 맛싸 33호 13학점**
   (1) 룻기 (1-13회) 3학점 - 설교 3편 작성 제출
   (2) 에스더 (14-48회) 3학점 - 설교 3편 작성 제출
   (3) 시편 101-106편(49-62회) 3학점 - 설교 3편 작성 제출
   (4) 신약 자유 본문(월간맛싸QT 내용중) 4학점 - 설교 4편 작성 제출

**4) 논문 6학점 혹은 신약 자유 본문 6학점**
   (1) 논문 작성시 - 6학점
   (2) 신약 자유 본문(월간맛싸QT 내용중) 6학점 - 설교 6편 작성 제출

## 3. 학비
2023년 가을학기 (8/28-12/9일까지 15주)
입학자격-학사 및 목회학 석사(Mdiv) 이상 졸업자(M.A 졸업자는 가능)
신학 석사(ThM) 45학점; 박사(DTh) 54학점; 석박사 통합 39+54=93학점
한학기 15학점; 석사 190만원; 박사 286만원
이번학기 송금처 언약성경연구소(Covenant Bible Institution)
농협 355-4696-1189-93 공식구좌

# 성경 원문을 공부해서 자격증 혹은 정식 학위도 받을 수 있는 기회

Covenant University -http://covenantunversity.us

카버넌트 대학은 미국 캘리포니아의 대학교로 학사, 석사, 박사 학위를 수여할 수 있는 학교입니다. 국제기독대학 협의회 즉 사립 종교대학 공인 기관(ACSI, Num. 107355)이며 또한 통신으로도 공부를 할 수 있는 미국통신고등교육연합협의회(USDLA) 정식 멤버의 학교입니다. 또한 캘리포니아 주 교육국 코드(CEC 4739b 6)및 학교인가번호 1924981과 연방등록번호 33-081445에 따라 설립된 기독교 대학입니다. 장점은 한국에서 자신의 생활을 하면서 통신으로 공부와 과정을 다 마칠 수 있는 것이 장점입니다. 참고로 이 대학은 Stanton University 캠퍼스 대학교(WASC)와 같은 재단에서 운영하는 대학이기도 합니다. 그리고 한국의 월간 맛싸-언약성경협회, 연구소와 MOU를 맺어서 성경원문으로 학위를 주는 과정입니다. 원문성경으로만 공부하는 것은 세계최초의 일입니다. (그럼에도 혹 ATS, AHBC, TRACS등의 자격을 필요로 하는 분들은 미국 현지에 유학 가서 거주하면서 공부하는 코스로 하시기 바랍니다.)

## 월간 맛싸(원문성경 전문지)와 연계한 학위과정

31호-13학점; 32호 14학점; 33호 13학점; 34호 12학점-현재까지 52학점 개설
(선지서; 시가서; 역사서; 신약-바울서신)

2023년 가을학기 (8/28-12/9일까지 15주)
입학자격-학사이상 국제 정식학위 소지자
신학 석사(ThM) 45학점; 박사(DTh) 54학점; 석박사 통합 39+54=93학점
한학기 15학점; 석사 190만원; 박사 286만원
이번 학기 송금처 언약성경연구소(Covenant Bible Institution)
농협 355-4696-1189-93

# 왕초보 히브리어/헬라어 펜습자

## 알파벳 따라쓰기

**저자 - 허동보**

수현교회 담임목사
AP부모교육 국제지도자
왕초보 히브리어/헬라어 성경읽기 강사
Covenant University, CA. 통합과정 중

## 히브리어/헬라어, 어렵지 않습니다.
## 단지 익숙하지 않을 뿐입니다.

모든 언어는 문법보다 더욱 중요한 것이 있습니다. 바로 읽고 쓰는 것입니다.

### 기본에 충실합니다.

이 책은 단순합니다. 다른 알파벳 교재와 달리 읽고 쓰는 것에만 집중했습니다.
쓰는 순서, 자음과 모음의 발음, 읽는 방법 등 정말 기본적이고 기초적인 것에
집중을 했습니다.

### 남녀노소 누구나 할 수 있습니다.

모든 언어는 왕도가 없습니다. 처음에 말과 글을 배울 때 복잡한 문법부터 공부하는
사람은 없습니다. 이 책은 어린이, 청소년을 비롯하여 히브리어/헬라어에 관심만
있다면 모든 연령이 쉽게 배울 수 있도록 집필되었습니다.

### 다양한 미디어로 공부가 가능합니다.

책 속에는 노트가 더 필요한 분들이 직접 인쇄할 수있도록 QR코드를 제공하고
있습니다. 히브리어 알파벳송은 따라부를 수 있도록 영상 QR코드를 제공합니다.
그 외 다양한 미디어 학습을 체험하실 수있습니다.

# 정기구독신청서

20   년   월   일

<table>
<tr><td rowspan="7">신청인</td><td colspan="2">이 름</td><td></td><td>생년월일</td><td></td></tr>
<tr><td colspan="2">주 소</td><td colspan="3"></td></tr>
<tr><td rowspan="3">전화</td><td>자 택</td><td>( )  -</td><td>출석교회</td><td></td></tr>
<tr><td>회 사</td><td>( )  -</td><td>직 분</td><td>담임목사 / 목사 / 전도사 / 장로 / 권사 / 집사</td></tr>
<tr><td>핸드폰</td><td>( )  -</td><td>E-mail</td><td>@</td></tr>
</table>

<table>
<tr><td rowspan="4">수취인</td><td colspan="2">이 름</td><td></td><td></td><td></td></tr>
<tr><td colspan="2">주 소</td><td colspan="3"></td></tr>
<tr><td colspan="2">전화(자택)</td><td>회 사</td><td>핸드폰</td><td></td></tr>
</table>

<table>
<tr><td rowspan="3">신청내용</td><td>신청기간</td><td>20   년   월 ~ 20   년   월</td></tr>
<tr><td>구독기간</td><td>□ 1년          □ 2년          □ 3년</td></tr>
<tr><td>신청부수</td><td>부</td></tr>
</table>

<table>
<tr><td rowspan="6">결제방법</td><td rowspan="3">카 드</td><td>· 카드종류: 국민, 비씨, 신한, 삼성, 롯데, 현대, 농협, 씨티, VISA, Master, JCB</td></tr>
<tr><td>· 카드번호:      -      -      -          · 유효기간:    /</td></tr>
<tr><td>· 소유주:                        · 일시불/할부   개월</td></tr>
<tr><td>온라인</td><td></td></tr>
<tr><td>자동이체</td><td>CMS</td></tr>
</table>

<table>
<tr><td>메모</td><td></td></tr>
</table>

정기구독 문의 및 안내 070-4126-3496

월간 맛싸